C'est certain que je t'aime, bébé !

Collection

Zones de turbulences — *Roch Carrier*

Roch Carrier

C'EST CERTAIN QUE
JE T'AIME, BÉBÉ !

MÉDIASPAUL

Médiaspaul reconnaît l'aide financière du Gouvernement du Canada par l'entremise du Fonds du livre du Canada (FLC), du Conseil des Arts du Canada et de la Société de développement des entreprises culturelles du Québec (SODEC) pour ses activités d'édition.

 Conseil des Arts du Canada **Canada Council for the Arts** Patrimoine canadien Canadian Heritage *Société de développement des entreprises culturelles*

Catalogage avant publication de Bibliothèque et Archives nationales du Québec et Bibliothèque et Archives Canada

Carrier, Roch, 1937-

    C'est certain que je t'aime, bébé !

    (Zones de turbulence ; 1)

    Pour les jeunes de 13 à 15 ans.

    ISBN 978-2-89420-876-2

    I. Titre.

PS8505.A77C47 2012   jC843'.54   C2012-940545-0

PS9505.A77C47 2012

Composition et mise en page : *Médiaspaul*

Maquette de la couverture : *Robert Dolbec*

ISBN 978-2-89420-876-2

Dépôt légal — 3ᵉ trimestre 2012
Bibliothèque et Archives nationales du Québec
Bibliothèque et Archives Canada

© 2012   Médiaspaul
          3965, boul. Henri-Bourassa Est
          Montréal, QC, H1H 1L1 (Canada)
          www.mediaspaul.qc.ca
          mediaspaul@mediaspaul.qc.ca

          Médiaspaul
          48, rue du Four
          75006 Paris (France)
          distribution@mediaspaul.fr

Imprimé au Canada — Printed in Canada

1

Aujourd'hui, Monsieur Pomerleau vient à l'école pour parler aux élèves. C'est un homme de science, il a écrit des livres, il a fait des films, il a voyagé presque partout sur la planète.

Monsieur Lachance, le professeur, est un peu préoccupé : comment ses élèves vont-ils se comporter ? Il les prépare à se bien conduire. Il voudrait tellement être fier d'eux... et un peu de lui-même...

— Vous savez que notre école doit paraître à son mieux... Si l'école paraît bien, vous paraissez bien... Soyez attentifs, écoutez le conférencier... Prenez des notes... Montrez-vous polis... Préparez des questions.

— Est-ce qu'on a le droit de poser n'importe quelle question ? demande Jade Tousignant, la plus prudente des élèves.

– Oui... Il n'y a pas de questions interdites.

– Je vais lui demander s'il porte des boxers ou des briefs, annonce Arsenio Picard.

La classe éclate de rire. Le comique est fier de lui.

– Si le Monsieur est aussi fameux que vous le dites, pourquoi est-ce qu'y a personne dans la classe qui a entendu parler de lui ? demande Martin Martin, qui se pense un peu au-dessus de tout le monde parce qu'il conduit sa voiture.

– Dans quelques minutes, vous allez faire connaissance avec notre invité, dit le professeur. Voilà à quoi sert l'école : elle vous introduit à ce que vous ne connaissez pas. C'est ça la vie : découvrir... De découverte en découverte, vous allez cesser d'être des ados et vous allez devenir des femmes et des hommes...

– Dans le dictionnaire, découvrir, ça veut aussi dire déshabiller, avertit Martin Martin, le fils de l'avocat. C'est probablement pas ça que vous voulez dire...

– Ça va, ça va, Martin. T'as pas besoin de me rappeler que j'enseigne à des ados ! ! !

Jonathan Poisson ne parle pas en classe. Il garde ses pensées pour lui : « Le professeur dit que, dans la vie, i' faut découvrir, mais i' a jamais eu envie d'essayer mon skateboard.

l' a jamais eu envie de mettre un pied sus ma planche, pour sentir ce que c'est. »

Jonathan Poisson, ne conduit pas une voiture comme Martin Martin, mais il fanfaronne sur son skateboard. Ses sauts sont hardis, risqués : tout le monde sait que par malchance, il va se briser quelques os.

— Monsieur Lachance, j'ai trouvé à la bibliothèque un livre de Monsieur Pomerleau, dit Camille Duparc. Il écrit des choses comme : « l'homme et la femme sont dans la nature, mais la nature est aussi dans l'homme et la femme »...

Les élèves ont entendu Camille et ils échangent des regards : cette conférence va être longue !

Martin Martin est préoccupé : quand il venait à l'école, un voyant s'est allumé au tableau de bord de sa voiture : *Check engine*. Quel genre de problème ça peut bien être ?

Camille Duparc lit des livres que personne d'autre n'aurait envie d'ouvrir. Quand elle parle, les garçons se taisent : aucun n'a envie d'offusquer la plus belle fille de l'école. L'autre jour, elle leur a dit en pleine classe :

— Les garçons, si vous aviez le choix entre vous faire installer une cervelle ou bien un *muffler*, vous choisiriez un *muffler* !

Les autres filles n'aiment pas beaucoup Camille Duparc. Elles ne lui reprochent rien, mais cette fille est belle, intelligente, elle joue de la musique, elle est la meilleure élève de la classe. Elle a le tour de toujours faire ce qu'il faut, comme il le faut.

— C'est l'heure. On va à la bibliothèque, dit Monsieur Lachance.

— Pour une petite sieste ? taquine Arsenio.

Monsieur Lachance s'arrête, croise les bras et affiche un sourire moqueur :

— Arsenio, y en a qui rêvent de partir à l'aventure en Afrique, en Antarctique, d'aller sur Mars, mais toi tu rêves d'avoir un oreiller...

— C'est moins fatigant...

— Celui qui ne se fatigue pas ne va pas loin...

— Pourquoi on nous dit tout le temps qu'i' faut aller loin ?

Stéphane Robichaud sort de son nuage :

— Des fois, on est ben juste là où on est...

— Allez, tout le monde ! On va écouter le Docteur Pomerleau. Vous êtes chanceux qu'un homme comme lui prenne le temps de venir à notre école. C'est un homme qui a amassé un trésor d'expériences... Impressionnez-le par votre curiosité. Je voudrais qu'il parte de notre école en se disant : notre pays a un bel avenir avec des filles et des garçons comme ça !

– Si on y pense bien, continue Stéphane Robichaud, y a pas d'avenir parce que l'avenir, ça existe seulement quand c'est devenu du présent. Ça fait que c'est pas de l'avenir qu'i' faut se préoccuper, c'est du présent.

Monsieur Lachance secoue la tête, l'air complètement découragé :

– Stéphane, tu discuteras de philosophie avec le Docteur Pomerleau.

– Le Docteur Pommette, corrige Arsenio Picard.

Bien sûr, ses élèves disent quelques bêtises... Monsieur Lachance pense que ce serait pire s'ils restaient silencieux.

Le regard de Jonathan Poisson a rencontré celui de Camille Duparc. A-t-elle, comme lui, ressenti cette petite chaleur qui se répand dans son corps ? Camille Duparc l'a regardé ; Jonathan se sent fier comme lorsqu'il a réussi un 50-50 sur son skateboard ! Maintenant, il va trouver le moyen de s'asseoir à côté d'elle, pour écouter le fameux bonhomme.

2

Cette année, Camille Duparc, une belle fille blonde, est dans la même classe que Jonathan Poisson ; cela lui donne presque l'envie d'aimer l'école. Il la regarde marcher dans sa mini-jupe ; son corps se balance avec une tranquille douceur, elle a cet air de toujours savoir ce qu'elle veut. Pour Jonathan, cette fille-là n'est pas comme les autres.

Pour s'approcher de Camille Duparc, Jonathan, dans le corridor, bouscule quelques compagnons. Cela ne le gêne pas : il a appris, il y a longtemps, que s'il voulait aller quelque part, il fallait souvent bousculer quelqu'un. Quand il enjambe, l'une après l'autre, quelques rangées de chaises, Monsieur Lachance le prévient :

– Attention ! C'est pas une course à obstacles !

Camille Duparc passe beaucoup de son temps dans ses livres. Elle connaît toutes les matières à l'avance : Jonathan pense que cette belle fille-là n'aurait pas besoin d'être si intelligente. D'un autre côté, il se dit que pour un garçon, ce devrait être bien agréable que d'attraper une fille belle et intelligente.

Jonathan arrive à la chaise libre, à côté de celle de Camille ; il s'y laisse tomber.

Elle est en grande conversation avec le grand flanc mou d'Evan Labrecque, qui est assis de l'autre côté d'elle. Jonathan trouve que ce garçon-là ressemble à une nouille sans sauce aux tomates même si les filles l'aiment bien... Comme s'il faisait un trick de skateboard : Jonathan saute au milieu de la conversation qu'ont Camille et Evan :

– Salut !... Ah ! t'es là, toé, Evan... Je t'avais pas vu... Hé ! J'ai trouvé une bonne question à poser au bonhomme ! As-tu pensé à une question, Camille ?

– Je vais commencer par écouter le Docteur Pomerleau... Ensuite, je vais lui demander si une jeune personne est mieux d'attendre d'avoir de l'expérience pour entreprendre un projet ou si elle est mieux de prendre de l'expérience en entreprenant le projet ?

– Aie ! ! ! Tu me croiras pas, Bébé, euh ! Camille... J'ai pensé à la même question que toé...

– Jonathan Poisson, je te crois pas...

– J'ai la même question que toé... Aussi vrai que j'ai un nouveau tatouage sur le bras.

Les tatouages sont interdits à l'école. Jonathan roule la manche droite de son chandail pour laisser voir à Camille la belle araignée noire, dans sa toile bleue, qu'il a décalquée sur son avant-bras.

– C'est un vrai tatouage ?

– Ben sûr. Penses-tu que je me contenterais d'un décalquage ?

– Il est pas horrible ; il est même beau.

– Si tu réussis à tenir vingt secondes sur mon skateboard, mon prochain tatouage, ce sera ton nom ! Juste icitte...

Il indique l'endroit en tapant sur son cœur.

– Ah ! se moque Camille. Quand j'arrive pas à dormir la nuit, c'est à ça que je rêve...

Jonathan saisit bien que Camille se moque de lui ; alors il lance sur un ton plutôt détaché :

– Ah ! t'es peut-être pas la seule...

Le pauvre Evan Labrecque, qui conversait avec Camille, n'existe plus. Il a été pulvérisé par les mots de Jonathan Poisson. Le malheureux comprend qu'il devrait chercher une autre chaise.

— Parce que je suis une fille, Jonathan Poisson, tu penses que je suis pas capable de me tenir debout sur une planche à roulettes ?

Le directeur s'amène avec le conférencier invité. Aussitôt silencieux, les élèves se lèvent d'un seul mouvement. Le directeur est fier, Monsieur Lachance est fier ; cela se voit à leur air. Le Docteur Pomerleau est pas mal vieux. Pas de cheveux. Pas beaucoup de place dans le visage pour d'autres rides. Au lieu de pencher par en avant, comme les vieux, le bonhomme a le corps raide comme s'il prenait des vitamines d'acier ; il penche plutôt par en arrière. Remarquant sa carrure d'épaules, Arsenio Picard chuchote :

— Le bonhomme a mis ses épaulettes de hockey.

Le directeur va au microphone :

— Chers élèves, nous avons, aujourd'hui, le privilège d'être en compagnie d'un héros. Notre invité n'aime pas qu'on lui applique ce dernier mot. Sa vie a été une aventure qui l'a porté autour du monde, où il s'est efforcé de rassembler les hommes et les femmes dans des projets pour donner à leurs enfants une vie meilleure. Écoutez cet homme exceptionnel, le Docteur Valérien Pomerleau.

Les élèves applaudissent bruyamment. Le directeur et Monsieur Lachance échangent un regard ; ils sont encore fiers de leur comportement.

Au microphone, le Docteur Pomerleau les considère un long moment, en silence. A-t-il oublié ce qu'il voulait dire ? Non. Souriant, il commence à parler :

« Mes amis, je suis aujourd'hui un vieil homme qui a été jeune comme vous. Si vous regardiez une photo de moi, dans ce temps-là, vous diriez que mes vêtements étaient ridicules ; les vôtres le seront aussi. Je dirai la même chose de la coupe de cheveux que j'avais dans ce temps-là et de celle dont vous êtes bien fiers aujourd'hui... Dans ce temps-là, nous n'avions pas de télévision, pas de téléphone portable, pas d'ordinateurs. Nous, les vieux, avons inventé ces outils. Nous, les vieux, vous avons donné ces outils. C'est à votre tour d'inventer ce que vous n'avez pas... Qu'inventerez-vous ?

Comme vous, je suis venu au monde sans l'avoir demandé. Comme vous, j'ai gagné le gros lot qu'est la vie. Vous et moi sommes privilégiés. Essayez d'imaginer, un instant, tous ces êtres qui ne sont pas nés : au lieu d'être femmes, hommes, oiseaux, ours, chevaux, lions, vers de terre, dauphins, arbres, blé, papillons, ils ne sont rien, ils ne sont pas...

Quand j'étais un adolescent, comme vous, certains de mes compagnons, comme certains de vos compagnons, disaient : « c'est plate ». La vie n'est pas une punition. Si vous et moi avons reçu la vie, c'est qu'une mission nous a été confiée dans l'univers.

Garçons et filles, je sais bien que vous n'êtes pas convaincus... En ce moment de votre vie, chacun et chacune parmi vous est semblable à une graine de semence. Chacun, chacune, parmi vous, possède en lui, en elle, le pouvoir de rendre la vie meilleure sur notre planète.

Dans votre évolution, ne vous imposez pas vous-mêmes des limites à ce que vous pouvez accomplir. Surtout ne dites jamais : « J' suis pas capable » alors que vous êtes remplis de forces encore inconnues de vous, inconnues même de votre mère et de votre père. Ne laissez personne imposer de limites à votre avenir...

Quand j'avais votre âge, un monsieur important était venu parler à notre école, comme je le fais aujourd'hui. C'était il y a soixante ans et je me souviens de lui comme si c'était hier. Il nous a dit : « Certains parmi vous gâcheront la vie qu'ils ont reçue. » Je vous regarde droit dans les yeux et, à mon tour, je vous dis : certains parmi vous gâcheront leur vie.

À ceux qui désirent gaspiller leur vie, je vais donner quelques moyens efficaces. Dépêchez-vous d'essayer le « bon stuff » que vous offre le minable petit « pusher » de votre école... Vous pouvez aussi partir dans l'auto de vos parents, avec des amis ; attention ! n'oubliez pas la bière ! Quand vous aurez assez bu pour ne pas savoir que vous êtes une bande d'imbéciles, poussez la pédale au fond : c'est un beau raccourci pour arriver au cimetière. Pour les filles, il y a un moyen très facile de saboter votre vie. Le garçon que vous pensez aimer est attiré par une autre fille... Pour le garder une journée de plus, donnez-lui votre corps et donnez cet abruti comme père à votre bébé... C'est très facile de ruiner sa vie... Mais pourquoi une jeune fille, un jeune homme voudraient-ils gaspiller leur vie quand la vie est une extraordinaire aventure où il y a tant à découvrir, tant à aimer, tant à faire ? »

Visiblement, les élèves sont un peu abasourdis. Le conférencier fait un signe au directeur qui revient au microphone :

– Malgré ses importantes occupations, dit le directeur, le Docteur Pomerleau a accepté de passer avec vous tout le temps que vous voudrez. Vous aimeriez sans doute lui poser quelques questions...

Très souvent, Martin Martin est le premier à poser une question. Son père, l'avocat, l'a encouragé à prendre la parole en public, à ne pas être intimidé par ce que pensent les autres, à exprimer son opinion même si tout le monde pense le contraire. Aujourd'hui, il est réservé. Il ne peut s'empêcher de penser à ce voyant qui s'est allumé au tableau de bord de sa voiture... Devrait-il en informer son père ? La voiture a probablement besoin d'une visite au garage. Et Martin devra marcher sur le trottoir comme tout le monde.

Les autres hésitent à parler ; Jonathan Poisson se lève hardiment :

— Monsieur, je pense qu'on devrait donner une chance aux filles pour une fois ; je vais laisser Camille Duparc poser sa question.

Camille lance un regard vengeur à Jonathan, puis se lève, sourit au conférencier qui, malgré son vieil âge, a la vue encore assez bonne pour apprécier une jolie fille :

— J'ai deux questions, Monsieur ; voici la première : scientifiquement, pensez-vous que faire du skateboard peut rendre un garçon un peu bête ?

— Mademoiselle, vous avez sans doute une raison sérieuse de poser cette question... Je dirais que si le garçon est tombé sur la tête alors qu'il ne portait pas un casque protecteur, il est possible qu'il soit un peu moins intelligent qu'avant sa chute... Il faudrait que j'étudie son cas particulier. D'autre part, on dit assez fréquemment que les filles intelligentes éprouvent une inclination naturelle pour les garçons un peu moins intelligents. Il faudrait étudier ce phénomène, s'il existe... Votre seconde question, mademoiselle ?

— Monsieur, on est jeunes, on n'a pas d'expérience... Euh... Je me souviens plus, j'ai oublié ma question...

Camille Duparc regarde au plafond, sur les murs, comme si elle espérait y lire sa question, elle regarde, désespérée, Monsieur Lachance qui s'est retourné vers elle.

— Euh. J'ai pas de question.

Camille se rassied. Ce Jonathan Poisson l'a dérangée. Il lui a fait oublier sa question. Elle a eu l'air ridicule. Elle ne parlera jamais plus à ce garçon.

— Docteur Pomerleau, demande la précautionneuse Jade Tousignant, quel est le meilleur moyen d'éviter le danger de gâcher notre vie ?

Le conférencier la considère un instant :

— Je vous conseillerais de n'être pas trop prudente. Dans la vie, il y a toujours une zone de mystère, d'inconnu, d'incompris et d'incompréhensible. Les plus beaux moments dans une vie, c'est quand on commence quelque chose et qu'on apprend en la faisant.

Après la conférence, le directeur et Monsieur Lachance sont tout souriants. Même si on dit qu'on n'est pas très sérieux quand on a seize ans, plusieurs élèves ont posé des questions sérieuses au fameux Docteur Pomerleau...

La vénérable sagesse du Docteur Pomerleau n'a pas impressionné Jonathan Poisson qui dit à Camille Duparc :

— Le bonhomme, i' connaît rien que des affaires plates pas l'fun... Faire un kickflip c'est pas mal plus difficile que d'ouvrir un livre.

— Ça, tu le sais pas, Jonathan Poisson, riposte Camille, parce que t'as jamais ouvert un livre... À part ça, j'aime pas ce qui est écrit sur ton chandail à capuchon : MORGUE. Tu sais pas qu'y a des places pas mal plus intéressantes que ça dans la vie ?

— T'aimes pas mon chandail, Bébé ?

— Je m'appelle Camille.

– Bébé, r'garde ce que j'en fais de mon chandail.

Jonathan Poisson le retire comme s'il se dépiautait, ses mains en font une boule qu'il lance par-dessus la tête des élèves. Camille le défie avec une moue moqueuse :

– Penses-tu que tu m'as impressionnée avec ça ?

Aussitôt, elle se corrige :

– T'avais pas besoin de faire ça...

– Bébé, t'as dit que t'aimes pas mon chandail.

Les élèves se lancent le chandail de Jonathan Poisson, comme un ballon, de l'un à l'autre :

– Hey ! c'est à moé, ça !

Camille n'est pas sans remarquer qu'au cri de Jonathan, ses compagnons cessent aussitôt de jouer et lui remettent son chandail. Jonathan l'enfile, abaisse le capuchon sur son front et s'en va, portant dans son dos les grosses lettres du mot MORGUE.

3

Camille Duparc a joué, chaque année, dans toutes les pièces de théâtre qui ont été montées à l'école, mais son rêve n'est pas de faire du théâtre ni du cinéma. Elle n'accorde pas beaucoup d'importance à sa beauté : elle n'est pas du genre à secouer sa chevelure blonde, toutes les trente secondes, pour attirer l'attention des garçons. Elle n'a pas non plus envie d'imiter les simagrées des filles dans les magazines. On ne remarque pas les vêtements de Camille, on remarque Camille. Elle est belle dans sa manière d'avoir seize ans.

Camille pense déjà à ce qu'elle fera après avoir terminé ses études universitaires : elle ira travailler dans des pays en voie de développement avec Médecins sans frontières.

Quand elle mentionne cela, Arsenio Picard blague :

— Si les belles filles s'en vont dans les pays pauvres, i' va rester seulement les laides dans les pays riches.

Mélanie Ladouceur s'empresse de rappeler que dans certains de ces pays, il n'y a même pas école pour les enfants, Jonathan Poisson dit :

— Donne-moé l'adresse, j' veux déménager par là-bas tout suite !

— On n'a pas besoin d'aller si loin, suggère Evan Labrecque. On a juste à rester icitte, pis à dormir durant la classe.

En plus d'être médecin, Camille Duparc sait qu'elle aura trois enfants. Sans se montrer ennuyée par les impertinences ou l'étroitesse de pensée de ses compagnons, elle leur répond, dans un beau sourire :

— Les garçons, vous parlez, vous parlez, mais quand je vais venir vous demander de l'argent pour les enfants malades dans les pays pauvres, je suis certaine que vous allez tous me signer un beau chèque bien généreux.

— Un beau chèque... un beau chèque... Attends un peu, proteste Jonathan Poisson, je vas commencer par payer ma moto...

— I' paraît que les jobs vont devenir ben rares à trouver, avertit Miss Bonnehumeur.

— On sait même pas si on va avoir envie de travailler, dit Evan Labrecque.

— Mon pauvre Evan, rétorque Camille, essaie de travailler juste une fois. Peut-être que tu aimeras ça.

— Le problème c'est que si j'aime ça, m'a être pogné pour travailler.

Souvent, après avoir fait ce genre de remarques, les garçons se pensent brillants comme des feux d'artifice. Camille Duparc ne se montre jamais décontenancée par ces propos. Elle ne leur reproche pas. Elle comprend que les garçons s'imaginent ressembler à de vrais hommes quand ils se montrent un peu bêtes...

Camille les intimide. Bien sûr, ils sont assez braves pour scruter chaque courbe de son corps, ressentant cet étrange petit vertige qu'ils ne détestent pas. Les plus courageux osent darder un instant leur regard dans ses yeux bleus ; alors, ils se sentent embarrassés. Plus tard, ils échangent des plaisanteries grossières à son sujet et se sentent avancés dans leur évolution vers le statut d'hommes vrais.

Les professeurs sont fiers d'avoir une élève comme Camille à leur école où ils regrettent que trop d'élèves semblent contents de n'avoir ni rêve ni ambition...

Quant à Monsieur et Madame Duparc, ils reconnaissent combien ils sont chanceux d'être les parents de Camille. Ils sont au courant de ses projets. Même si cela ne se fera pas avant plusieurs années, Madame Duparc n'est pas sans crainte : ces pays-là sont si dangereux. En regardant les nouvelles à la télévision, Monsieur Duparc dit souvent : « On dirait qu'y a juste de la misère qui pousse par là. »

Le souhait secret des parents de Camille était qu'elle prenne la relève à leur boutique de chaussures, une entreprise qu'ils ont, ensemble, établie et développée. Ils espéraient que leur fille étudie le commerce pour, ensuite, prendre en charge la boutique. Ce commerce propre, honnête, a bien fait vivre leur famille. C'est un commerce stable : « tout le monde a besoin de chaussures et tout le monde a besoin d'un cercueil », blague parfois Monsieur Duparc. Sa femme et lui étaient persuadés que l'avenir de leur fille était « dans la chaussure », comme ils disent. Ainsi, leurs vieux jours seraient assurés et elle offrirait un avenir confortable à ses propres enfants, quand elle aurait une famille.

D'autres fois, ces jours où les ventes sont faibles, Monsieur Duparc souhaite que sa fille fasse sa vie ailleurs que dans ce commerce : ce n'est pas toujours agréable que d'être à genoux devant tout le monde, à « parler à leurs pieds », comme il dit. Pour l'instant, Camille aide ses parents durant les congés et les week-ends.

Aujourd'hui, samedi, Camille est à la boutique. Ses parents vont, à la fin de l'après-midi, assister à une réunion de l'association des marchands de leur rue avec un fonctionnaire de la ville. Le dernier client est sorti. Dans trois minutes, ce sera l'heure de la fermeture et Camille sait précisément ce qu'elle doit faire. Mais elle est anxieuse. Son père, qui craint les voleurs et tous les malfaiteurs, a institué un rituel qu'il faut exécuter avec exactitude : 1) verrouiller la double porte extérieure ; 2) calculer le contenu de la caisse qui sera glissé dans une enveloppe avec copie des factures de transactions ; 3) déposer l'argent dans le coffre-fort ; 4) refermer le coffre-fort ; mêler les chiffres de la combinaison ; 5) éteindre les lumières ; 6) activer le dispositif de sécurité ; 7) sortir ; 8) s'assurer que la porte intérieure est bien verrouillée ; 9) cadenasser la porte extérieure en veillant à ce que personne ne la voie placer la clé dans son sac... Camille se concentre pour appliquer attentivement la procédure sans rien oublier.

4

À l'instant où elle ouvre le tiroir-caisse pour cueillir la recette, un client surgit devant la porte. Elle voit sa forme à travers la vitre. Aussitôt, elle repousse le tiroir. La porte s'ouvre. C'est Jonathan Poisson ! Son capuchon noir ne couvre pas entièrement son visage.

– Jonathan ! Qu'est-ce que tu veux ?

– Heu... heu... J' charche queque chose...

Camille Duparc, seule avec lui dans la boutique, à la fin de la journée, n'est pas moins nerveuse que son client :

– Qu'est-ce que tu cherches, Jonathan ?

– Ben... J'ai vu sus l'Internet des maudites belles chaussures...

– T'as vu des belles chaussures... Et tu veux les mêmes ?

— C'est ça... Des maudites belles chaussures de skateboarding. Ouais... rouges et noires... Y a du rouge même en d'ssour de la semelle. T'as probablement pas des belles chaussures comme ça à vendre ?

— On n'a pas ce modèle en ce moment, mais je l'aurai la semaine prochaine...

— As-tu un ordi, icitte ? J'vas t' montrer ce que je veux, Bébé...

— Camille !

— J' sais ben, heu... C'est un beau nom.

Les doigts de Jonathan s'activent sur le clavier :

— Tiens ! R'garde : v'la les chaussures rouges et noires ; a sont mauditement belles, trouves-tu ?

— C'est pas mon style, mais oui, elles sont belles. Dans ce genre de chaussures.

Jonathan a repoussé son capuchon. Camille remarque que ses yeux brillent : il désire vraiment ces chaussures...

— Quelle pointure chausses-tu ?

— Neuf est un peu serré, Bébé ; c'est dix...

— Reviens la semaine prochaine : j'aurai tes chaussures.

— J' pourrai pas te payer comptant... J' te promets cinq piasses par semaine jusqu'à la fin de ma dette. Cinq piasses, c'est tout ce que je peux te donner. Cinq piasses par semaine, garanties !

– C'est d'accord, Jonathan ; reviens la semaine prochaine...

S'apercevant tout à coup qu'elle vient de faire une transaction qui n'est pas sans risque, elle devient prudente :

– Je vais devoir te demander d'avance un premier versement de cinq dollars.

– Bébé, tu peux pas demander de payer avant que le client ait vu la marchandise...

– Mon père aimera pas ça, Jonathan, mais t'as raison... Reviens samedi prochain.

Il remet son capuchon et sort de la boutique. Pourquoi parade-t-il avec le mot MORGUE affiché dans son dos ?

Quand ses parents reviennent de leur réunion, plus tard, à la maison, Camille leur décrit comment elle a vidé la caisse à la boutique, comment elle a glissé la recette dans l'enveloppe et déposé l'enveloppe dans le coffre-fort, comment elle a activé le dispositif d'alarme et verrouillé les portes.

À seize ans, leur fille « a plus de maturité que bien des adultes », constate sa fière maman, sans le dire. Quelle chance ils ont ! Tant de parents ont des enfants qui ne leur apportent que des soucis... Devant eux, cette magnifique jeune fille est encore un peu cette fillette de trois ans, quatre ans, qu'ils adoraient.

— Papa, j'ai eu un client de dernière minute ; il voulait des chaussures de skateboarding.

— Quoi ?

— Des chaussures pour faire de la planche à roulettes, tu sais.

— Oui, oui, j'ai vu ça : c'est une belle invention pour les fous qui ont envie de se casser le cou...

— Papa, on devrait pas négliger ces clients-là... Ils sont jeunes ; s'ils commencent à venir à la boutique, ils vont venir pour longtemps. Ils suivent la mode et ils sont plus nombreux que vous pensez...

Monsieur et Madame Duparc échangent un regard ébloui : leur fille a vraiment le sens des affaires !

— J'ai conclu une entente avec le client : il va payer ses chaussures cinq dollars par semaine.

Son père sursaute :

— T'as vendu à crédit à un jeune ! Dis-moi que t'as pas fait ça, Camille !

— On n'a pas les moyens de faire crédit ; on ferait faillite, explique sa mère.

— Y a beaucoup de jeunes qui peuvent pas payer comptant une paire de chaussures. Mais ils sont capables de vous faire un petit paiement à chaque semaine. Si vous accomodez pas ces clients-là, ils vont aller acheter ailleurs.

— Cinq piastres par semaine, répète Monsieur Duparc. As-tu pensé, Camille, que ton client va payer la première semaine et puis qu'il va disparaître avec ses chaussures ? D'autant plus qu'il va être sur une planche à roulettes.

— Je vous garantis que le client va payer entièrement le prix de ses chaussures : il est dans ma classe.

— Ah ! c'est un ami ! s'exclame Monsieur Duparc. Il va avoir une bonne raison pour pas payer.

— Vous pouvez pas juger comme ça quelqu'un que vous connaissez pas, proteste Camille.

— Charles, je sens, dit sa mère, que ce garçon-là est vraiment un ami.

— Et il a des amis qui viendront aussi acheter à la boutique. Et vous allez être bien contents.

— Pas s'ils achètent tous à crédit...

— Papa, si tu me fais plus confiance, dis-le-moi ; tu me verras plus à la boutique ; je vais aller vendre des beignes...

— Camille, j'essaie de te faire comprendre qu'on n'est pas une banque. On prête pas de l'argent ; on vend des chaussures. L'acheteur doit payer ce qu'il achète.

— Jonathan va payer.

— Camille, dit sa mère, ton père comprend pas. Je vais lui expliquer ; Charles, ce client-là, c'est un A...M...I.

— Un ami, ah ! répète son père qui contemple sa fille avec un air étonné.

Sa petite Camille a un ami spécial ! Ce moment devait nécessairement venir ; il est content qu'il ne soit pas arrivé plus tôt. Mais il est arrivé tout à coup. Le père ne peut plus cacher son éblouissement :

— Cathou, s'écrie-t-il, notre fille a un petit ami ! Les filles, pourquoi vous m'aviez caché ça ?

— C'est pas un petit ami ! proteste Camille. On t'a rien caché, papa.

— J'espère qu'on aura l'occasion de faire sa connaissance, dit Madame Duparc, excitée.

— Maman, ce garçon-là, i' est juste dans la même classe que moi.

— Mais oui, je comprends ça... J'ai déjà eu ton âge... J'ai dit la même chose à ma mère.

– Je veux que la situation soit claire, dit le marchand de chaussures. Ce jeune-là mettra pas les pieds dans ma maison avant d'avoir fini de payer ses chaussures ! Comme disait mon père, un homme c'est quelqu'un qui paie ses dettes.

5

D'habitude, Camille Duparc est contente, le lundi, d'entreprendre une nouvelle semaine. C'est comme ouvrir un livre neuf, commencer une nouvelle histoire... Ce matin, sur le chemin de l'école, une légère tristesse aigrit son âme. Elle n'est pas tout à fait malheureuse, mais elle n'est pas heureuse. Elle a beaucoup pensé à ce Jonathan Poisson ; elle pensait encore à lui ce matin, en se réveillant. Cela l'ennuie ; elle n'a pas envie de penser à ce garçon.

Samedi, il est venu à la boutique ; elle lui a vendu des chaussures. Voilà tout ce qui est arrivé, mais son père et sa mère ont posé toutes sortes de questions, ils ont imaginé toutes sortes d'intrigues. À la fin, ils ont décidé que Jonathan était un « ami spécial » de leur fille... Ce garçon-là n'est pas « spécial » ; il n'est même pas un ami. Sa classe compte vingt-neuf élèves ; Jonathan est l'un d'eux. Ses parents ne veulent pas comprendre ça... Au souper, dimanche, son père, pour la taquiner, a levé son verre à la santé « de ses amours ».

Camille, pensant à tout cela, sent son âme toute serrée dans son corps comme dans une robe trop étroite. Elle n'a pas envie d'aller à l'école. Surtout, elle n'a pas envie de voir Jonathan ni son capuchon ni le mot MORGUE dans son dos... Pourquoi son père et sa mère ont-ils fait un tel fla-fla autour d'une paire de chaussures ? Ils avaient l'air de fouiller dans la vie de leur fille comme dans un tiroir. Pourquoi est-elle si affectée par tout cela ? Elle espère que ce Jonathan Poisson s'est cassé le nez sur son skateboard et qu'il sera absent de l'école. Monsieur Lachance donne un test d'histoire, ce matin ; elle n'est pas prête ; elle était trop distraite quand elle essayait d'étudier. Franchement, elle se fiche un peu de ce qui s'est passé il y a des centaines d'années.

– Hey ! Watch out, Bébé !

Camille sursaute et descend dans la rue pour libérer le trottoir. Jonathan file sur son skateboard comme s'il était une voiture de course. Elle lui décoche :

– Abruti !

Aussitôt, elle regrette d'avoir lancé cette insulte qu'elle ne peut rattraper. Elle ne voulait pas vraiment l'insulter. Elle se trouve un peu bête de n'être pas restée plus cool.

— T'as pas oublié mes chaussures, hein ?

Elle le regarde aller, cannette de boisson énergisante à la main, dans son chandail à capuchon noir, et ce mot MORGUE estampé dans son dos.

Camille ne veut plus le voir, ne veut pas aller à l'école ; elle voudrait ne plus être Camille Duparc, celle qui sait tout... Pourquoi est-elle si sérieuse ? Les idiots comme Jonathan Poisson sont bien plus heureux... Pourquoi a-t-elle envie de pleurer ?

Les filles, qui papotent dans leur coin, ont tout de suite détecté que Camille, aujourd'hui, ne se ressemble pas. A-t-elle eu un désaccord avec ses parents ? Les mères ont parfois un don spécial pour vous mettre de mauvaise humeur... Son tempérament est-il dérangé par ses règles ? Jade Tousignant craint plutôt que sa compagne couve une grippe ; elle va la prévenir :

— À ce moment-ci, en octobre, la grippe peut être féroce. Quand je suis grippée, ma grand-mère me cuisine de la soupe au poulet et me fait boire beaucoup de thé ; il doit être très chaud et très faible.

Les garçons aussi s'aperçoivent que Camille est de mauvais poil :

— Les filles ont des jours comme ça, ronronne Evan Labrecque en s'étirant sur sa chaise pour laisser bâiller toute sa paresse.

Jour par jour, la semaine continue, un peu semblable à la semaine précédente et un peu différente. Les cours. Les devoirs. Les blagues d'Arsenio Picard. Les questions compliquées de Stéphane Robichaud. Ce grand flanc mou d'Evan Labrecque qui n'est intéressé par rien. Martin Martin qui parle de sa voiture comme si elle était un patient en phase terminale d'un cancer. Et Jonathan Poisson...

À la maison, Camille essaie de ne rien laisser paraître, mais elle est agacée quand ses parents lui parlent. Ce n'est pas seulement ce qu'ils lui disent... Même leur voix la crispe.

Elle s'efforce de ne rien laisser paraître non plus à l'école, mais si Jonathan la regarde, elle doit se retenir de lui faire une grimace ; si Jonathan passe près d'elle sans la regarder, elle a envie de tirer son capuchon en lui disant : « Hé ! Jonathan, pourquoi tu fais comme si j'étais pas là ? »

Tant de choses la tourmentent cette semaine. Qu'est-ce qui se passe ? Camille se dit qu'elle doit être fatiguée. L'école, l'étude, les devoirs, le travail à la boutique de chaussures : oui, elle est fatiguée... Et cette semaine est interminable.

Le mercredi, Jonathan Poisson est absent de l'école. Il revient le lendemain avec un plâtre autour de son poignet gauche. On l'entoure, comme un champion ; on l'écoute raconter son aventure. Avec quelques mots et beaucoup de gestes, il décrit la figure qu'il exécutait lors de son accident :

— J' faisais un nosegrind, man. Ton skateboard descend une rampe d'escalier, mais c'est juste le nez de ton skateboard, jusqu'à l'essieu qui glisse sur la rampe. Le reste du skateboard est dans l'air ; toé, c'est là que t'as les pieds...

— T'es en équilibre dans le vide, conclut Stéphane Robichaud.

— Ouais, que'que chose comme ça.

Jonathan n'a pas remarqué que Camille était parmi ses admirateurs. Pourquoi fait-il semblant qu'elle n'est pas là ? se demande-t-elle. Elle voudrait comprendre comment il peut rester en équilibre sur sa planche si seulement le nez de la planche a un appui. Quelque chose, une timidité soudaine la retient de parler. Elle se retire en se disant qu'elle a des choses plus importantes à faire.

Le reste de la journée du jeudi et toute la journée du vendredi, Jonathan Poisson ne voit pas que Camille est dans la classe. Elle s'efforce de ne pas le voir, mais elle le voit constamment.

Quand tout le monde file vers la sortie pour plonger dans la liberté de la fin de semaine. Camille ne voit pas Jonathan. Il est un champion de vitesse pour l'évasion de l'école.

Retournant chez elle, Camille se dépêche sans raison, car elle n'a pas hâte de rentrer à la maison, de se faire redire par sa mère qu'elle a l'air bien fatiguée et qu'elle doit se reposer ; et, au souper, elle va devoir encore entendre son père proclamer que le temps est venu de changer de gouvernement, sinon nous irons tout droit à la faillite... Soudain passe près d'elle un bolide noir, sponsorisé par la MORGUE ; Jonathan Poisson revient vers elle :

— As-tu reçu mes chaussures, Bébé ?

— Je m'appelle Camille... Passe à la boutique si tu veux avoir des nouvelles de tes chaussures !

Il est déjà loin et c'est tant mieux... Elle a reçu le résultat de son test d'histoire : elle s'est plutôt bien débrouillée. Comme d'habitude, elle était mieux préparée qu'elle ne le croyait.

6

Avant le souper, Monsieur et Madame Duparc sont insupportables. Camille ne peut étudier dans sa chambre sans être dérangée. Sa mère, qui revient du salon de coiffure, frappe à sa porte :

– Camille, tu veux voir ma nouvelle tête ?

– Maman, à trente-sept ans, ta tête peut pas être si nouvelle que ça.

– Ah ! les enfants d'aujourd'hui... Camille, pourquoi accuses-tu ta mère d'être une vieille femme ? Veux-tu voir les leggings que je t'ai achetés ? J'ai pas pu résister.

– Maman, laisse-moi finir mon travail... Après, on parlera de mode...

Plus tard, c'est son père qui frappe à la porte :

– Camille, veux-tu venir lever ton verre avec nous ? C'est du vin d'Australie... Ça m'a été recommandé.

— J'ai pas fini, papa.

— Le travail, c'est pas tout dans la vie... Tu dois aussi apprendre à apprécier les bonnes choses.

— Si je fais pas mes devoirs, qui va les faire ?

Au fond, Monsieur Duparc se réjouit que sa fille ait un tel sens de sa responsabilité :

— Tu as toute la fin de semaine devant toi.

— Je travaille à la boutique demain.

— Ah ! on va parler de ça au souper.

Quand elle accepte enfin de sortir de sa chambre, Camille constate que ses parents l'ont attendue pour goûter au vin d'Australie. Elle regrette maintenant son incorrection : ce n'était pas très bien que de se murer dans sa forteresse. Elle s'excuse :

— On a beaucoup de travaux à l'école.

Son père rayonne, étonné par tant de maturité. Si sa fille sait organiser ses travaux d'école, elle saura organiser sa vie, plus tard.

— Maman, t'as raison, ta nouvelle coiffure te donne un air plus jeune.

Elle ment un peu ; sa mère le sait et, sans effort, elle lui pardonne, car au fond, elle la croit un peu :

– J' sais pas si ta mère t'a dit. On a reçu les chaussures de ton p'tit ami. Dans son genre, i' a pas mauvais goût.

Elle proteste encore une fois :

– C'est pas mon p'tit ami. C'est même pas un ami. Je le déteste.

– Camille, fâche-toi pas... C'est juste pour te taquiner... Ta mère et moi, on veut célébrer, car il va y avoir du nouveau à la boutique.

– On a pris une décision durant la semaine, dit sa mère.

– La semaine dernière, ta mère et moi, on a réagi un peu rudement parce que tu avais vendu à crédit des chaussures à ton ami...

– C'est pas mon ami !

– On a eu le temps de réfléchir. On a compris, ta mère et moi, qu'on avait eu tort. On a compris qu'à l'école, il y a des centaines de jeunes qui aiment avoir des chaussures de sport à la mode des jeunes. Tous les parents sont pas riches ; on a compris que ces jeunes-là peuvent pas tous payer comptant leurs chaussures. Faire crédit à ces jeunes, c'est leur donner le droit de porter les chaussures qu'ils veulent porter.

Il n'échappe pas à Camille que ses parents ont préparé soigneusement leur petit discours :

– C'est pourquoi, continue sa mère, on a aujourd'hui une grande nouvelle à t'annoncer. On a décidé d'ouvrir, dans notre boutique, une section spéciale de chaussures de sport pour les jeunes, où les clients pourront payer par versements.

– La section des jeunes va s'appeler « Choisi par Camille », claironne Monsieur Duparc. C'est ça qu'on veut fêter aujourd'hui. C'est toi qui as semé l'idée... Levons nos verres au succès de « Choisi par Camille » !

– Tu vas nous aider à choisir les chaussures. Ce sera une belle manière de financer tes études à l'université, explique sa mère.

– En un mot, tu vas aider notre entreprise à se brancher sur la jeunesse, ronronne Monsieur Duparc, qui verse avec précaution une gorgée de son vin australien dans le verre de sa fille.

– Papa, tu m'as donné une goutte de vin. Je suis plus un bébé !

– Le vin peut donner mal à la tête, avertit sa mère.

Monsieur Duparc remplit le verre de Camille, de sa femme et le sien :

– À la santé de notre fille ! Au succès de « Choisi par Camille » !

À la table, devant son assiette, Camille dit qu'elle n'a pas faim. Son père croit que c'est l'occasion de faire une autre de ses blagues :

– Y en a qui disent qu'une personne en amour a pas besoin de manger. As-tu déjà entendu dire ça ?

Camille ne voudrait qu'être seule, dans sa chambre, à ne rien faire, à se polir les ongles peut-être, à ne rien entendre, à ne pas écouter la radio, à ne penser à rien. Elle n'est pas heureuse. Elle n'est pas malheureuse... Mais il y a cette sorte de tristesse qui l'entoure, sans raison, comme un brouillard. Elle annonce à ses parents qu'elle est très fatiguée et qu'elle aimerait juste se reposer dans sa chambre. Ils comprennent : être, comme elle l'est, une excellente élève à l'école demande des efforts... En plus, elle travaille à la boutique de chaussures... Elle exige beaucoup d'elle-même.

Dans sa chambre, enfin, Camille se laisse tomber sur son lit. Elle ne bouge plus, ne pense plus... Dans la salle à dîner, son père débouche une autre bouteille de vin. Leur fille n'est pas toujours facile, mais elle les rend heureux si souvent.

– Cathou, on devrait donner congé à Camille, demain. Pas de travail à la boutique.

– Charles, j'ai eu la même idée. Un petit congé va lui faire du bien.

Le lendemain, samedi, dans l'après-midi, Monsieur Duparc voit entrer dans sa boutique, avec une planche à roulettes en dessous du bras, un long et maigre jeune homme, perdu dans un pantalon trop grand, trop bas, le visage caché dans un capuchon : il a un bras dans le plâtre.

– Salut ! Mes chaussures rouges et noires sont-i' arrivées ? Le nom, c'est Jonathan.

Monsieur Duparc ne peut s'empêcher de grimacer à la rude politesse de ce jeune client.

– La fille a m'a vendu des chaussures de skateboarding.

– Ah ! c'est toi, l'ami de ma fille.

– Wow ! man, j'ai jamais osé m' penser l'ami de ta fille... Elle est ben trop ben élevée. C'est la plus belle fille de l'école. Pis ell' en sait autant que le prof... Ta fille, man, c'est une future présidente du Canada.

– Oui, on a reçu tes chaussures.

– Ta fille pis moé, on a fait un marché. J' dois te payer cinq piastres à toutes les semaines. Cette semaine, j'ai skippé l'école mercredi pour travailler ; ça fait que j' sus capable de t' payer un coup de vingt piastres... Man, j'sus certain que tu pensais pas que j' serais jamais capable de te payer...

– Tu t'appelles Jonathan ? Jonathan, quand t'auras tout payé, je vais te rembourser vingt piastres si tu parles à tes amis de nos chaussures sport pour les jeunes.

– J' vas parler de ta boutique à mes chums, man, si j'sus content de mes chaussures... Mais si tu me les donnais gratis, man, j' commencerais tout de suite à parler de ta boutique... C'est un deal ?

– Commence par m'envoyer des clients. Ensuite, on verra...

– Les chaussures, j' vas les mettre tout de suite... Ta fille, man, est dans même classe que moé, mais on dirait qu'elle est dans une classe ben plusse avancée.

– Notre nouvelle section des chaussures sport pour les jeunes va s'appeler « Choisi par Camille ».

– J' te garantis, man, qu'i' va y avoir du monde dans ton magasin...

Sa planche à roulettes sous son bras, le corps courbé pour contempler ses pieds dans ses chaussures noires et rouges, Jonathan Poisson marche vers la sortie :

– Les paiements qui restent, j'vas les donner à ta fille à l'école. Salut !

Pourquoi un si jeune homme affiche-t-il dans son dos le mot MORGUE ? se demande Monsieur Duparc.

Au souper, ce soir-là, Monsieur Duparc raconte à sa femme et à leur fille la visite du premier client de « Choisi par Camille ».

— C'est un garçon qui a l'écorce rude. Il est pas très intéressé par les bonnes manières, mais il semble honnête : il veut payer sa dette au plus vite. C'est un garçon qui sait ce qu'il veut ; et il est capable de négocier une affaire.

En plus, ce jeune homme fruste est capable de s'apercevoir que Camille est un joyau :

— Je t'assure, dit Monsieur Duparc à sa fille, que ce jeune homme m'a fait à ton sujet les plus belles louanges qu'un père voudrait entendre au sujet de sa fille...

— Papa, je me fous de ce qu'il t'a dit. Je me fous de ce qu'il pense. Maman et toi, arrêtez de me parler de lui. Y a d'autre chose dans la vie que ce bêta !.. Arrêtez de me taquiner au sujet de quelqu'un qui ne m'intéresse pas !

Elle se lève brusquement de la table en culbutant sa chaise et court à sa chambre. En passant devant son miroir, elle voit ses yeux remplis de larmes. Monsieur Duparc, consterné par la conduite de Camille, lance à sa femme :

– Cathou, veux-tu ben me dire qu'est-ce qu'elle a, ta fille ? Y a-t-i' quelque chose qui la tracasse ?

Madame Duparc sourit comme si elle savait quelque chose que ne sait pas son mari :

– Notre fille déteste pas ce garçon autant qu'elle le dit...

7

Ce n'est que la fin d'octobre. Des élèves s'emmitonnent dans leur parka, comme s'ils voulaient attirer l'hiver et, déjà, les professeurs s'énervent : ils craignent de ne pas pouvoir couvrir leurs matières ; tous ensemble, ils se dépêchent pour rattraper leur prétendu retard. Et il pleut des tests ! Les professeurs veulent vérifier les « acquis », comme ils disent : évaluer ce que les élèves ont retenu. Arsenio Picard demande à Monsieur Lachance :

— Au lieu de voir ce qu'on a retenu, pourquoi vous regardez pas ce qu'on a oublié ?

Les élèves sont de plus en plus décontractés et les professeurs deviennent de plus en plus tendus. Aujourd'hui, Monsieur Lachance s'évertue à convaincre sa classe de l'importance des mathématiques. Indifférent, Evan Labrecque ne dort pas vraiment : dormir est peut-être trop éreintant ; il somnole.

— Dans tous les métiers, toutes les professions, à tout moment du jour et même de la nuit, assure le professeur, vous devrez calculer, compter, estimer, évaluer. Si vous allez à la banque, vous devez compter. Si vous allez à l'épicerie, vous devez compter. Si vous achetez une bicyclette, vous devez compter. Les mathématiques : ce sont des outils pour vous aider à être libres... Il faut compter pour savoir, compter pour comprendre, compter avant de prendre une décision, compter pour agir, compter pour résoudre un problème.

— Il faut compter les moutons pour s'endormir, ajoute Evan Labrecque.

Piqué au vif, Monsieur Lachance éclate :

— Evan Labrecque, je me demande parfois si ta petite cervelle serait pas dans le fond de ton jean plutôt que dans ta tête...

— Monsieur Lachance, qu'est-ce que ça te donne de savoir compter ? T'es pogné pour enseigner des bébelles compliquées à des gars comme moé qui sont pas intéressés. Si tu sais si bien compter, pourquoi que t'as pas trouvé une grosse job de finance où tu pourrais compter une grosse paie plutôt que ton salaire de prof ?

Monsieur Lachance empoigne des livres sur son bureau et les projette vers Evan Labrecque avec toute la force de son petit bras. Voyant ses livres s'abattre sur son élève, il s'étouffe dans un gros sanglot et, avec des larmes qui coulent, embarrassé, il s'enfuit sans refermer la porte de sa classe où tout devient profondément silencieux. Evan ramasse un à un les livres qui l'ont frappé, ceux qui sont tombés sur le plancher et il va paisiblement les replacer sur le bureau de Monsieur Lachance qui semble ne pas vouloir revenir dans sa classe. Dans l'attente, quelques élèves commencent à parler à voix basse. Peu de temps après, tous bavardent en évitant de commenter l'emportement de leur professeur. Tout à coup, autour d'Evan Labrecque, quelques-uns ne peuvent retenir de petits rires. Se moquent-ils de Monsieur Lachance ? Camille Duparc se lève :

— Je peux pas continuer comme si rien n'était arrivé... Notre professeur est sorti de la classe parce qu'il voulait pas qu'on le voie pleurer. C'est un homme. C'est un père qui a des enfants. Pourquoi est-ce qu'il pleurait ? Parce qu'il a été humilié, méprisé, déprécié par un élève de notre classe qui devrait aller offrir ses excuses à Monsieur Lachance.

— La blonde, moé j'ai pas envie d' lécher le prof, mais j' t'empêche pas d'y aller si t'en as envie...

— Labrecque, tu parleras pas comme ça à une fille dans ma classe !

C'est Jonathan Poisson qui a bondi devant Evan Labrecque :

— Y en a combien dans la classe qui veulent qu'Evan aille faire des excuses à notre prof ? demande-t-il.

— Lachance, m'a garroché ses livres par la tête, proteste Evan Labrecque.

— Aurais-tu aimé mieux recevoir des briques ? se moque Arsenio Picard.

— Levez la main, tous ceux qui pensent qu'Evan devrait aller s'excuser, dit Jonathan.

Après une brève hésitation, l'une après l'autre, toutes les mains se lèvent.

Evan Labrecque se dresse pour défier Jonathan Poisson, il agite les poings ; on n'a jamais vu ce grand flanc mou chercher une bataille :

— Ok ! Jonathan-le-Poisson, montre à Camille Duparc si t'es un gars...

— Commencez pas une guerre, implore Camille.

— Jouez pas trop dur ! supplie Jade Tousignant.

Le père de Martin Martin négocie avec les syndicats durant des grèves. Martin sait un peu comment les choses se font :

— Si on donne trop de misère à Monsieur Lachance, il va nous faire une dépression comme il en a fait une il y a deux ans. S'il fait une dépression, quelqu'un va venir le remplacer. Pensez-vous que le directeur va choisir pour notre classe le professeur le plus tendre ? Il va choisir un chef de police pour nous dompter... On va regretter Monsieur Lachance... Je dis qu'on devrait prendre soin de notre Monsieur Lachance.

Evan Labrecque ne peut plus ne pas se soumettre à la volonté de la majorité : il va aller présenter ses excuser à Monsieur Lachance, s'il est encore à l'école...

Il sort de la classe ; plusieurs lui donnent une petite tape d'encouragement dans le dos, sur l'épaule. Et le silence revient dans la classe. Camille n'ose lever les yeux en direction de Jonathan. Elle lui dira « Merci, Jonathan » à la sortie des classes.

Dix minutes, douze minutes, treize s'écoulent bien lentement. Les élèves ne savent pas ce qui se passe. Qu'arrive-t-il à Evan Labrecque ? Ils ne parlent plus. Ils tournent des pages dans leur manuel. Monsieur Lachance va-t-il revenir ? Auront-ils congé pour le reste de la journée ? Il a peut-être démissionné. Quelle punition Evan Labrecque recevra-t-il ? La classe entière sera-t-elle punie ? Une avalanche de travaux leur tomberont-ils sur le dos ? Chacun s'applique à ne pas laisser paraître une certaine nervosité. Dans leur coin, les jumeaux Tremblay pouffent d'un rire excité. Quand il est enfin capable de parler, Yannick explique ce qui les a fait rire :

— Mon frère Ludovic a dit que la punition d'Evan, ça sera d'embrasser la secrétaire du directeur, Mademoiselle Brochu.

— Et mon frère Yannick a dit que la récompense de Jonathan Poisson sera de raser Mademoiselle Brochu avant qu'Evan l'embrasse !

Ces blagues soulèvent un rire énorme qui, comme une grosse vague, s'abattent sur Monsieur Lachance au moment où il apparaît dans l'embrasure de la porte de la classe, suivi d'Evan Labrecque. Tous les élèves s'efforcent de retenir leurs rires, mais quelques-uns ne peuvent s'empêcher de glousser. Monsieur Lachance va à son bureau. Evan Labrecque s'assoit à sa place. Monsieur Lachance va parler. Combien de devoirs supplémentaires leur infligera-t-il en punition ? Il considère ses élèves en silence. Il est très pâle. Il veut parler. Que dira-t-il ? Les mots ne lui viennent pas. Il craint de recommencer à pleurer. Le silence est tel que les élèves s'entendent respirer. Il a tellement parlé durant sa carrière de professeur : l'habitude lui apporte les premiers mots :

— Vous n'oublierez jamais la scène que vous avez entendue et vue dans votre classe il y a quelques minutes... Evan m'a présenté des excuses franches ; je les ai acceptées. Comme un homme, il accepte la responsabilité de ses paroles et de ses gestes. Ce qu'il a dit va demeurer entre lui et moi.

J'ai aussi présenté mes excuses à Evan. Moi, son professeur, j'ai eu tort de me laisser emporter par ma colère. Peut-être certains vont-ils vouloir justifier mes gestes en disant : « Monsieur Lachance est surmené... » C'est gentil de leur part, mais un professeur surmené est encore un professeur ; il ne devrait pas donner l'exemple d'un mauvais comportement.

J'aurais pu embrasser une autre profession que celle d'enseignant. J'avais un très bon dossier scolaire ; je crois bien que toutes les professions m'étaient ouvertes. J'ai choisi de devenir professeur. Durant toutes ces années, je n'ai jamais regretté ma décision.

Quand j'aide des jeunes à découvrir toute la capacité qui est en eux sans qu'ils le sachent, quand je les aide à voir toutes les possibilités qui enrichissent la vie, quand je les intéresse à la fabuleuse complexité du monde qui les attend et quand je leur donne le goût de participer, de contribuer avec enthousiasme à cette vie, alors je me sens utile.

J'essaie d'inspirer tous mes élèves à avoir un rêve. Mon souhait le plus ardent est que, dans plusieurs années, tous les élèves à qui j'ai enseigné puissent dire : « J'ai réalisé mon rêve de jeunesse. » Pour employer un de vos mots favoris, il n'y a pas de meilleur feeling. Maintenant, au travail ! On retourne où on en était : page 49.

« Avoir un rêve de jeunesse » : ces mots-là ont touché Jonathan Poisson. A-t-il un rêve de jeunesse ? Il pense à cela durant la journée ; il évalue la situation. Puis il décide d'en parler au professeur.

— Monsieur Lachance, aimerais-tu euh ! aimeriez-vous savoir mon rêve de jeunesse ?

— Mais oui, Jonathan ! Qu'est-ce que c'est ton rêve ?

— Pour commencer, j'aimerais ben réussir un beau triple flip sur mon skateboard. Pis j'aimerais avoir une moto. On peut faire toute sorte de tricks en moto, itou.

— Jonathan, avoir un rêve ça nous fait vivre, c'est comme l'air qu'on respire.

C'est vendredi ; la semaine est terminée. Dans la cour, avant de quitter l'école, Camille Duparc voit apparaître Jonathan Poisson :

— Je viens te parler d' ma dette... Bébé...

— Camille, corrige-t-elle, ennuyée.

— Au lieu de jumper par-dessus la clôture dans le parc, je me sus pogné dedans. J'ai le corps tout scratché... J'ai pas pu travailler cette semaine. Ça fait que j'peux pas payer les cinq piastres que j' dois à ton père.

Camille n'est pas impressionnée par le saut périlleux ni par l'accident ; elle pense plutôt à son père. Il aura un bon argument pour rappeler à sa fille les dangers de faire crédit à quelqu'un...

— Jonathan, propose Camille, je vais te prêter cinq piastres pour que tu fasses ton versement hebdomadaire tel qu'entendu. Tu me rembourseras la semaine prochaine...

— Camille, j' t'ai pas demandé rien. Pourquoi tu fais ça ?

— Je sais que j'aurais pas dû.

Jonathan Poisson se sent comme s'il était tout étourdi : pourquoi elle me prête de l'argent ? Qu'est-ce qu'elle me veut, cette fille-là ?

8

Samedi, les parents de Camille Duparc sont à Toronto pour une foire à la chaussure. Ils font les commandes habituelles mais, cette année, un stand les a particulièrement intéressés. Un jeune rocker, qui fait beaucoup de bruit, et que toute la jeune génération connaît, paraît-il, lance sa propre ligne de chaussures sport; elles ont des couleurs attrayantes, leur prix est bon. Excités, Monsieur et Madame Duparc ont décidé que « Choisi par Camille » offrira ce produit avant tous les concurrents.

Quand ils doivent s'absenter à l'extérieur de la ville, c'est Tante Rita, célibataire, qui, depuis toujours, est responsable de la boutique. Selon Monsieur Duparc, sa sœur « connaît la chaussure encore mieux que lui-même ». Camille passe l'après-midi avec Jade Tousignant et Chloé Chabot. Attendrie de voir les adolescentes travailler avec tant de sérieux, la mère de Chloé, qui est divorcée, invite Jade et Camille à souper.

La mère de Chloé a préparé une salade géante, car, explique-t-elle aux filles, elle a besoin de perdre du poids. Elle débouche une bouteille de vin blanc. Jade et Chloé ne sont pas très intéressées. La mère de Chloé insiste pour qu'elles goûtent : une jeune fille doit apprendre à boire de la bonne manière.

— Est-ce qu'il faut absolument lever le petit doigt quand on boit ? demande Jade.

Le repas est agréable, les jeunes filles s'amusent et la mère de Chloé a peut-être encore plus de plaisir qu'elles.

La nuit est descendue sur la ville quand Camille Duparc retourne chez elle avec son havresac bourré de livres. Elle est contente de sa journée. Elle n'a pas perdu son temps. Elle est prête pour le test de lundi prochain. Ce n'est pas qu'elle est vraiment fatiguée, mais elle a hâte d'arriver à la maison : ce sera tranquille sans ses parents. Elle va enfiler son pyjama et, avec ses deux oreillers, elle va s'allonger sur le grand divan dans le salon et paresser ; il y aura peut-être à la télévision un documentaire sur un pays exotique... Il y a un match de hockey à la télé : la paix règne dans les rues.

Soudain, un bruit vient aux oreilles de Camille, un bruit métallique, quelque chose qui roule sur l'asphalte :

– J'espère que c'est pas Jonathan Poisson !

Elle accélère le pas. Le son du roulement sur l'asphalte se rapproche. Elle n'ose pas se retourner, regarder qui vient. Elle se met à courir... Les roulettes tournent plus vite sur la rue. Elle se sauve. Heureusement, elle n'est pas loin de chez elle. Elle aurait l'air stupide si elle s'arrêtait sonner à l'une des maisons... Le skateboard est tout proche. Ce n'est pas Jonathan... « Jonathan parlerait », se dit-elle.

– Bébé, pourquoi tu te sauves ?

– Je pensais pas que c'était toi.

– Et si tu avais pensé que c'était moé qui venais ?

– Je me serais sauvée encore plus vite !

– J' sais que c'est pas vrai... Parce que tu m'aurais pas prêté cinq piastres... Bébé...

– Je m'appelle Camille ! Si tu m'appelles Bébé encore une fois, je vais t'appeler Evan Labrecque...

– Hey ! ça serait une grosse insulte... J' sus encore prêt à te prêter ma planche. T'as pas envie d'essayer ?

– Si tu penses que j'ai peur...

– Tout le monde a peur la première fois... Ça fait que t'as peur. La peur, c'est juste d'la peur... Donne-moé ton sac... I' est pesant en maudit... Bébé, trop de livres, c'est pas bon pour ton dos... Tiens... mets le pied sus le skateboard, pèse un peu pour ben sentir que la planche fait partie de toé... Garde le pied sur la planche, et pousse avec l'autre pied...

– C'est comme ma première fois en bicyclette...

– Y a rien que tu peux comparer à un skateboard ! T'as ton pied sus la planche ? Avec ton autre pied, donne une p'tite poussée... Délicate... Ben délicate pour commencer...

Quand elle prenait des leçons de ballet, elle a appris à rester en équilibre sur un seul pied. Seulement, la planche n'est pas immobile.

– Tu roules, Bébé ! Tu roules !

Camille est étonnée d'être encore debout sur le skateboard qui bouge. Elle donne une autre poussée. Le ciel est beau, tout picoté d'étoiles. C'est comme si elle sentait la terre tourner sous cette planche.

Une voiture, qui était garée dans une entrée de garage, recule dans la rue. Vivement, Camille, pousse son pied au sol pour freiner ; son autre pied est sur la planche et les roulettes tournent sur la pente légère. Écartelée, Camille tombe sur les genoux, puis sur les mains, et le skateboard continue son trajet sous la voiture. Jonathan, à la course, va le rattraper et revient vers Camille :

– T'es-tu fait mal, Bébé ?... C'est le métier qui rentre. Plusse tu vas tomber, moins tu vas sentir le mal.

Le conducteur de la voiture a aidé Camille à se relever. Il a reconnu la fille de Monsieur et Madame Duparc. Il est désolé. Il s'excuse. S'excuse encore. Et encore plus :

– Je t'ai pas vue... J'aurais dû te voir, mais je t'ai pas vue... La rue avait l'air vide. Je t'ai pas vue... Veux-tu aller te faire examiner à l'hôpital ? Je vais te conduire. Veux-tu que je téléphone à tes parents ?

– Non, c'est pas nécessaire. Merci de votre aide, Monsieur Bureau. Inquiétez-vous pas. J'ai rien de cassé.

– J'ai rien vu. Je pouvais pas voir, insiste le conducteur de la voiture. I' fait noir. Vous autres les jeunes, avec vos planches, vos patins, vos bicyclettes, vous devriez porter des bandes phosphorescentes quand il fait noir.

Jonathan est calme. Depuis qu'il fait du skateboarding, il a subi beaucoup de chutes, de culbutes, d'écrasements, de dégringolades, d'effondrements... Il s'est ramassé au sol de toutes les manières.

– Bébé, marche... mets un pied devant l'autre... Es-tu capable ?

– Je suis pas morte, Jonathan ! Tu vois, je peux marcher, mais je me sens comme une vieille avec des rhumatismes. Ça fait mal dans les genoux.

– Ça fait mal la première fois... Après on s'habitue... Es-tu capable de plier les genoux ?

Se tenant sur une jambe, elle doit se forcer pour plier l'autre :

– Ouille ! ne peut-elle s'empêcher de dire.

– Tu vois, i' a plié...

– Ça fait mal.

– Plie l'autre.

Camille se tord et plie l'autre genou.

– Bébé, t'as pas mal ; t'as juste peur d'avoir mal... T'es capable de marcher...

– La maison est pas loin.

– Je vas te raccompagner chez vous. Tu pourras pas dire que j' sus pas un monsieur... J'aurais pas dû te prêter mon skateboard... Parce qu'un gars prête jamais son skateboard... Surtout pas à une fille... Tes vieux vont-i' lâcher le chien après moé parce leur fille s'est graffigné les genoux ?

Elle se garde de dire que ses parents sont à Toronto :

– On n'a pas de chien. On a seulement Justin, mon hamster.

– T'aime les rats, Bébé ?

Jonathan, d'une bonne poussée, s'éloigne du trottoir, comme s'il s'en allait. Mais il revient.

– C'est ici que je reste, annonce Camille.

Dans ce voisinage tranquille, sa maison de brique ressemble aux autres maisons de brique, avec un parterre qui ressemble aux autres parterres. Jonathan photographie l'adresse dans sa mémoire.

– Merci pour le skateboard, Jonathan, même si je me suis presque cassé le cou. Salut... Tu dois avoir envie de retourner à ta MORGUE...

– J' sais que t'aimes pas mon chandail... Je le porte parce que tu l'haïs. Dis pas que j'ai pas attiré ton attention... Mais y a que'que chose que j' veux te dire... Pour un gars, c'est pas facile de parler à une belle fille comme toé bourrée d'intelligence... L'autre jour, j'étais sus mon skateboard, pis y a une idée qui m'est venue, comme ça. J'en ai pas parlé à personne, mais j'avais envie de t'en parler à toé. Pourquoi on prend des noms d'animaux pour insulter le monde ? On reproche à quelqu'un de dire des « âneries. » On traite quelqu'un de « poule mouillée », de « cervelle d'oiseau », de « tête de linotte », de « buse », de « vieille chouette », de « pie », de « rat », de « porc » ; on dit qu'une personne agit « comme un éléphant dans une boutique de porcelaine », qu'elle a « une langue de vipère »... Quand on insulte le monde avec des noms d'animaux, je pense que c'est peut-être les animaux qu'on insulte. J'avais envie de te parler d' ça, Bébé, parce que toé t'es capable de comprendre mon idée...

— Je m'appelle Camille.

— J'aimerais ça, dans ma vie, travailler pour la protection des animaux... Pas les p'tites bibites... Les grosses bêtes : les éléphants, les rhinocéros, les affaires de même... Le problème, c'est les livres. I' faut lire ben trop de livres...

— Jonathan, au sujet des bêtes, je pense un peu comme toi. Dans l'histoire de la planète, il y a beaucoup de peuples qui sont complètement disparus... Ces animaux-là ont survécu : s'ils n'avaient pas été intelligents, ils n'auraient pas survécu à tous les bouleversements. C'est un beau sujet à étudier, Jonathan.

— J'aime pas l'étude. Moé, c'est la vie qui m'intéresse.

— Bonsoir, Jonathan...

— On devrait vérifier avec ta mère si tes genoux sont OK. I' faut désinfecter les égratignures. Si y avait un problème, je voudrais pas m'être sauvé.

— Jonathan, ma mère est pas là.

— Ben, on va regarder ça avec ton père.

– Mon père est pas là.

– Ben, on va regarder ça tout seuls.

– Jonathan, pense pas que tu vas pouvoir rester longtemps. Il va falloir que tu partes.

Camille Duparc tourne la clé dans la serrure, allume la lumière, désactive vivement le dispositif d'alarme qui a eu le temps de lancer un bref cri dans la paix du voisinage.

9

— Hey ! C'est propre icitte... Bébé, sens-tu encore du mal ? Tes mains, peux-tu les fermer ? Les ouvrir ? Tu peux bouger tous les doigts ?

— Oui, mais ça brûle dans les genoux. Comme du feu.

— Si ça bouge, y a rien de cassé. On ira pas chez le Docteur Lacasse. La comprends-tu ?... Astheure... Plie les genoux.

— Je peux pas, ça fait trop mal.

— Ben assis-toé.

Camille s'assoit.

— Tu viens de plier les genoux, Bébé. Tu vois que t'es capable...

— Ça fait mal.

— Oui, mais tu peux. Y a rien de cassé, comme dirait le Docteur Lacasse. Tu la comprends astheure.

— Ça fait mal.

– T'es pas tombée dans le marshmallow mais dans la rue.

– Y a du sang dans mes mains et sur mes genoux.

– Ben oui, la peau est moins résistante que l'asphalte. Surtout la peau de fille. Écoute ce que tu vas faire. Pour endormir le mal, prends une aspirine. Ta mère doit en avoir dans sa pharmacie. Si tu vois une bouteille de peroxyde, apporte-la itou.

Camille revient de la salle de toilette de ses parents :

– Jonathan, j'ai les jambes raides comme si j'étais mon arrière-grand-mère. J'ai pris deux aspirines.

– Deux ? Hey ! Dans cinq minutes, tu sentiras plus le mal.

– Ça saigne.

– Laissons saigner un peu ; ça nettoie...

Camille est déconcertée de voir ce Jonathan Poisson, dans sa maison, assis sur le plancher, devant elle, prenant soin d'elle avec une certaine douceur. Cela, elle ne le lui avouera pas. Elle lui lance plutôt un reproche :

– T'aurais dû me dire que ta planche à roulettes, c'est une arme dangereuse.

— Bébé, le problème des filles, c'est qu'elles ont jamais appris à tomber...

— Parce que nous, les filles, on est capables de se tenir debout. Puis, toi, si tu savais si bien comment tomber, t'aurais pas un poignet dans le plâtre.

— C'est pas pareil... C'est une clôture qui m'a pogné... Astheure, je vas nettoyer tes graffignures avec de l'eau froide. T'as des mouchoirs propres ?

Elle lui passe la boîte de Kleenex qui est sur le piano.

— Ce serait mieux d'avoir du vrai coton : des mouchoirs ben propres.

Avec la démarche comique que lui donnent ses deux genoux raides aux articulations, elle va chercher les mouchoirs.

— Bébé, heureusement que c'est pas à soir que tu dois courir le marathon...

Il va tremper les mouchoirs dans l'eau, sous le robinet de la cuisine. Quand il revient, elle est assise sur le divan. Il s'agenouille devant elle :

— Astheure, occupe-toé de tes mains : mets un mouchoir entre tes deux mains et presse-les l'une dans l'autre pour fermer les graffignures. Je vas m'occuper de tes genoux.

Avec application, il nettoie la peau tout délicatement. Ensuite, il étend du peroxyde sur ses éraflures.

– Hey ! y a ben des gars à l'école qui voudraient s'occuper des genoux de Camille Duparc ! ! !

Il retourne à la cuisine et revient avec deux gants de caoutchouc qu'il a remplis de glaçons.

– Bébé, mets ça sur tes genoux. Ça va endormir ton mal.

Et il disparaît encore à la cuisine. Camille l'entend ouvrir, fermer, ouvrir, fermer les portes de l'armoire.

– Jonathan Poisson, t'es pas chez toi... Si ma mère te voyait...

– Je cherche que'que chose pour toi...

Il réapparaît avec deux verres.

– De l'eau ? J'avais justement soif, dit Camille.

– C'est pas de l'eau. J'ai spotté une bouteille de vodka dans le frigidaire. De la vodka à la mandoline, qu'i' disent sur la bouteille...

– À la mandoline ? ça se peut pas ! s'esclaffe-t-elle.

– C'est écrit sur la bouteille, se défend-il.

– Ça se peut pas !

– Penses-tu que je sais pas lire ? Je vas t'apporter la bouteille, tu vas voir...

Jonathan apporte la bouteille de vodka et la pose sur la petite table, devant le divan, avec précaution.

– C'est mandarine ! corrige Camille.

– Mandarine, mandoline, c'est pareil. On fête ton premier tour de skateboard ! On cogne nos verres...

– Je vais pas boire de l'alcool. J'ai déjà pris deux aspirines... C'est pas un bon mélange chimique. Tu te rappelles de ce que nous a dit le Docteur Valérien Pomerleau...

– Qui c'est ça ?

– C'est le conférencier qui est venu à l'école. Il nous a dit que c'est facile de gâcher sa vie.

– T'es ben trop sérieuse, Bébé... Les vieux, i' ont peur de la mort, i' ont peur de la vie, i' ont peur de toute. Les aspirines, c'était pour ton mal ; la vodka, c'est pour not' fun. C'est deux affaires séparées. Regarde-moé.

Il met le verre à sa bouche, renverse la tête, boit, grimace à la sensation de brûlure dans la gorge, s'étouffe, tousse, et continue de boire en grimaçant encore plus.

– Tu vois, i' m'arrive rien.

— Si mon père s'aperçoit que la vodka a baissé dans la bouteille...

— Pas de problème, Bébé ; j'ai toute pensé. J' vas mettre de l'eau dans la bouteille. Vodka, eau, c'est la même couleur.

— C'est incolore, Jonathan.

— Bébé, on est pas à l'école... Oublie le dictionnaire... Vas-y. Prends une petite shot de vodka. Montre-moé qu'une fille est capable de faire aussi bien qu'un gars.

Elle met légèrement le verre sur ses lèvres, le penche prudemment, laisse la vodka couler sur sa langue, grimace à la petite brûlure, s'arrête :

— C'est poison. Ça goûte le gaz...

— C'est pas bon tout de suite ; ça devient meilleur après. Cale ton verre... On fête ton initiation en skateboard... Toé et moé, Bébé ! Hey ! C'est ça... Comme ça... T'as bu toute ton verre... Tu vois. Ça fait pas mal...

— C'est du poison.

— Le deuxième verre est toujours meilleur. Tu vas voir, on va goûter mieux la manlodine...

Camille applique son verre contre son oreille en s'esclaffant :

— Jonathan, il me semble que j'entends la mandoline...

Elle pouffe d'un grand rire qui secoue ses épaules. Un grand rire qu'elle ne peut arrêter. Il ne comprend pas pourquoi c'est si drôle. Ils se regardent dans les yeux et tous les deux, maintenant, sont agités d'un rire irrépressible. Puis, peu à peu, leurs rires s'épuisent et tout s'apaise.

Jonathan remplit les deux verres ; Camille n'a plus de mal. Ils lèvent leur verre, boivent :

— Tu vois, Bébé, c'est moins mauvais ; au troisième verre, on s'apercevra pas qu'y a de la vodka ; on va juste goûter la mandoline, pis on va écouter la mandarine !

Camille n'a jamais soupçonné que ce Jonathan pouvait être si comique. Elle rit, elle rit, elle rit ; elle n'a pas envie de s'arrêter. Jonathan reprend la bouteille pour remplir les verres :

— Pas tout de suite, Jonathan, il faut que je digère mes aspirines... Je pense que j'ai fait une erreur de calcul ; j'en ai pas pris deux, j'en ai pris trois... Pour vraiment assommer le mal.

— Je viens d'avoir une idée, Bébé... euh Camille... Camille Duparc. Une autre fois, pas aujourd'hui, toé pis moé, on va faire un vidéo pour YouTube. Y a ben des gars et des filles qui savent pas comment faire quand c'est l' temps d' s'embrasser... I' nous enseignent pas ça à l'école. Toé et moé, on pourrait leur montrer comment. Hey Bébé ! Une autre fois, on va se mettre à l'ouvrage là-d'ssus... Mais avant, on va se désaltérer, Bébé... Hey ! Y a pas juste toé qui connais des grands tarmes.

— Se désaltérer... Il faut que j'aille faire de la place, annonce-t-elle en se levant.

— Tu vois, tu peux bouger, t'as pus mal aux genoux. T'es guérie.

Camille chancelle. Jonathan l'observe, sur ses deux jambes pencher d'un côté, hésiter, puis pencher de l'autre côté.

— Oups ! y a l'air d'avoir des bosses dans le plancher.

— Des bosses dans le plancher, répète Camille.

C'est la meilleure blague de Jonathan ! Elle rit, rit, elle se tord, elle se tape sur les cuisses, elle n'a jamais entendu quelque chose d'aussi drôle. Elle n'en peut plus de rirc tellement, elle se laisse tomber dans un fauteuil.

Puis elle se relève, fait quelques pas. Sous ses pieds, le plancher bouge. Autour d'elle, les murs bougent doucement comme l'eau quand il y a des vagues tranquilles.

— Jonathan, as-tu la tête qui vire ?

— Ben non, on a bu juste un peu... Tiens, on prend un autre verre.

— J'ai pus soif, Jonathan.

— C'est pour ça, Bébé, que ce verre-là, ça va être notre dernier verre. Bois ça... Après, on va parler ; on va décider comment toé pis moé, on va faire notre vidéo pour YouTube. T'es bonne dans les livres, tu vas trouver le titre.

— « Le baiser éternel. »

— Non, non. Pas d'éternité. C'est une affaire qui embête les jeunes.

— « Le baiser presque qui tue. »

— Ah ! ça c'est bon !... Tiens, ton verre ! On boit au succès de notre vidéo !

Puis, pour un long moment, comme si Jonathan et Camille n'étaient pas ensemble, dans la même pièce, comme si chacun était seul quelque part, ils ne parlent plus. Ils boivent lentement. Soudain Camille repousse brusquement son verre le plus loin possible, sur la petite table. Jonathan voit son visage prendre un air furieux ; elle a les doigts comme des griffes de lionne et se met à crier :

— Jonathan Poisson, me prends-tu pour une idiote ? Penses-tu que je suis trop saoule pour pas m'apercevoir que ton vidéo, c'est un truc ? Jonathan Poisson, as-tu peur de la fille qui est assise sur le divan avec toi ? Tu prends des détours. Es-tu trop couillon pour me dire que la seule chose qui t'intéresse, c'est de m'embrasser sur la bouche ?

— Bébé, j'ai une ben grosse envie de t'embrasser...

— Après ça, Jonathan Poisson, tu vas aller raconter aux garçons dans la classe que « Camille Duparc, elle embrasse comme une fille qui a jamais embrassé un gars » ?

— J' dirai jamais une affaire de même. C'est vrai que j'ai une ben grosse envie de t'embrasser parce que t'es une ben belle fille... Mais c'est vrai itou que j'aimerais qu'on fasse un vidéo ensemble... Hey ! on serait mieux de boire un coup parce qu'on commence à trop parler.

Camille Duparc sait, à ce moment-ci, qu'elle ferait mieux de ne pas parler, mais elle s'entend dire :

— Jonathan, je t'aime pas, mais moi aussi, j'ai envie de t'embrasser.

Comment Camille a-t-elle pu dire cela ? Elle déteste ce bêta, sur son skateboard, enveloppé dans son uniforme de MORGUE, mais elle ne peut pas rattraper ses paroles. Elle ne s'endort pas, mais elle ne peut empêcher ses yeux de se fermer, car il lui semble qu'elle rêve :

— C'est mauvais, cette vodka-là... Mais c'est vrai que plus on en boit, moins c'est mauvais.

Un rot, profond et immense, secoue son corps. Jonathan ne l'entend pas. Il est assis tout près d'elle, mais il lui paraît loin, si loin qu'elle se lève pour se rapprocher de lui. Au premier pas, les pieds de Camille s'accrochent dans les jambes tendues de Jonathan, elle s'affale sur lui, son verre lui glisse des mains et se fracasse sur le plancher :

— Bébé, dit-il, j' vas prendre soin de toé.

— Jonathan, t'es pas trop mon genre, mais je peux pas te cacher que tu me fais un peu d'effet, avoue-t-elle, en pouffant de rire.

Tout à coup, elle ne rit plus. Elle a plutôt l'air de sangloter. Puis, c'est le silence.

— Dors-tu, Bébé ?

— Non, je me sens bien trop bien.

— J' vas me rapprocher...

— Je dors...

— À côté de toé, Bébé, j'pourrai jamais dormir...

10

Tôt le dimanche, peut-être tard – Camille ne sait pas quelle heure il est – elle s'éveille comme si elle avait reçu un coup sur la tête. Vivement, ses deux mains saisissent son crâne. Le mal est atroce. Elle n'ose pas bouger sa tête sur l'oreiller. Elle veut étendre ses jambes. Son corps lui fait aussi mal que sa tête. Elle bouge une jambe. Ouch ! Elle sent comme un mal de dent dans son genou. Elle va bouger un bras. Ouch ! Il y a quelque chose de pesant sur son bras. Aie ! c'est quelqu'un. Elle hurle. Reconnaît Jonathan Poisson qui ouvre les yeux mais ne s'éveille pas. Il est nu. Elle est nue. Elle tire vite un drap sur elle.

Elle se roule hors du lit. Jonathan dort. À l'endroit où elle était couchée, le drap est taché d'un peu de sang. Les yeux pleins de larmes, Camille s'enveloppe dans le drap. Jonathan ne doit pas la voir nue. Elle bouge avec pré-caution. Elle essaie d'empêcher le plancher de craquer. Elle est triste, elle a mal, elle veut se laver. Elle a, au cœur, une grosse peine, comme l'un de ces chagrins d'enfant. Elle trouve la bouteille de vodka sur le plancher. Elle est aux trois quarts vide. Au robinet, elle y ajoute de l'eau. La sensation froide de l'eau sur ses mains est délectable. Elle replace la bouteille dans le réfrigérateur. Maintenant, elle peut pleurer comme une petite fille.

Elle a souvent rêvé à la première fois... S'est-elle donnée à ce bêta qui ronfle dans son lit ? Elle ne se souvient pas... L' a-t-il prise malgré elle ? S'est-elle défendue ? Tout ce qui s'est passé s'est effacé comme la nuit dans le matin...

Une main sur la bouche pour ne pas crier, l'autre qui retient le drap sur son corps, elle se précipite, sur ses jambes raides, à la salle de bain. Un flot irrépressible, amer, mauvais surgit de son estomac, monte dans sa gorge et la vomissure éclabousse le lavabo. Ce n'est pas ainsi que devait être sa première fois...

Il n'y aura jamais plus de première fois. Pour toujours, sa première fois sera ce qu'elle a été. Dans la douche, elle savonne son corps. Elle ne retient plus ses sanglots qui résonnent dans sa tête toute douloureuse. Elle pleure comme une petite fille... La petite fille qu'elle n'est plus.

Soudain, il y a des coups sur la porte de la salle de bain et, de l'autre côté, un meuglement :

— Bébé ! t'es-tu là ?

— Jonathan Poisson, disparais ! Je veux pus t' voir... Jamais...

— Y a pas longtemps, c'est pas ce que tu disais, Bébé...

— Jonathan POISON, sors de la maison !

Il insiste, il frappe à la porte :

— J'veux pas partir sans te donner un p'tit bec. Juste un p'tit bec sus la joue, Bébé...

— Je suis pas ton bébé.

— OK. OK. Les filles, ça s'énerve pour rien...

— Va-t'en !

— T'essaies d'avoir l'air fâchée, Bébé, mais j' sais, qu'au fond, tu m'aimes ben gros...

11

Les parents de Camille reviennent tôt, dans la soirée, le dimanche. Leur fille est déjà au lit. Madame Duparc est impressionnée :

— On est chanceux d'avoir une fille qui a une bonne tête sur les épaules ! Elle doit avoir fait tous ses travaux d'école et maintenant, elle prend le temps de se reposer avant d'entreprendre la semaine. À son âge, y a bien des élèves qui prennent plus le temps de dormir.

— Notre fille a hérité le bon jugement de son père, se vante Monsieur Duparc.

— Elle a peut-être hérité le bon jugement de sa mère qui lui a choisi un père doué d'un si bon jugement.

Les parents de Camille sont contents de leur voyage à Toronto. Ils ont fait de bons achats à la foire à la chaussure. « Choisi par

Camille », la section des jeunes à la boutique, va certainement être un beau succès...

– Cathou, j'ai bien merité de boire un petit coup !

Monsieur Duparc va au réfrigérateur, prend sa bouteille de vodka.

– On dirait qui en a plusse que quand on est partis.

– Vas-tu commencer à compter les gouttes ?

Il remplit son verre :

– À la santé de nos affaires !

Il boit.

– Elle goûte rien, cette vodka-là ! s'exclame Monsieur Duparc.

– Laisse-moi goûter... Moi, je la trouve juste bonne, pas forte, avec ce petit goût de mandarine...

Le lendemain, lundi, quand elle apparaît à la table pour le petit déjeuner, Camille semble de mauvaise humeur. Elle est toute renfrognée. Monsieur Duparc, déconcerté, jette un regard interrogateur à sa femme ; il n'ose lui demander :

– Cathou, qu'est-ce qu'elle a, ta fille ?

Madame Duparc veut alléger l'atmosphère :

— Camille, on a bien hâte que tu voies les chaussures de sport qu'on a commandées. Tu vas les aimer. Tes amis vont les aimer.

— La boutique ! La boutique ! Les chaussures ! s'impatiente Camille. Y a d'autres choses dans la vie !

Étonnés par cette saute d'humeur, ses parents échangent un regard mais ne disent rien. Ils s'attendent à ce qu'une adolescente qui s'épanouit, se développe, ait parfois des sautes d'humeur. Madame Duparc a expliqué cela à son mari : « À cet âge, une fille ne contrôle pas ses hormones. » Ses parents n'insistent pas pour engager un dialogue avec leur jeune fille irritable, qu'ils ne reconnaissent pas tout à fait. Son père se dit que la mauvaise humeur de leur fille « va s'évaporer ». Sa mère, qui se souvient d'avoir été une jeune fille, veut que sa fille sente qu'elle comprend son humeur :

— Camille, ton père va te conduire à l'école, aujourd'hui.

— Je veux pas aller à l'école.

— Pourquoi, Camille ?

— Personne va m'envoyer à l'école aujourd'hui, crie-t-elle, en se levant de table.

Elle repousse sa chaise, court à sa chambre, claque la porte. Sa mère veut la suivre, aller voir sa fille, parler, lui demander les raisons de son étrange comportement, l'écouter... Elle la soupçonne d'avoir un gros chagrin d'amour. Il en faut peu pour blesser le cœur d'une jeune fille... Monsieur Duparc retient sa femme :

– Cathou, laisse notre fille pleurer toutes les larmes qu'elle a à pleurer. Je vais attendre qu'elle soit prête.

Monsieur Duparc aime sa fille, mais il se passerait bien de tout ce théâtre. Une dizaine de minutes plus tard, il commence à s'impatienter. Il va être en retard pour ouvrir sa boutique. Un bon lundi est l'indice d'une bonne semaine. Et des clients, un peu superstitieux, se présentent tôt le lundi pour obtenir un meilleur prix.

Soudain, Camille revient, toute belle, apaisée, avec son sac, son manteau, prête à partir :

– Papa, tu me conduis à l'école ?

Monsieur Duparc est si heureux qu'il ne se préoccupe plus de son retard. À la radio de la voiture, tourne une chanson qu'à la maison, tout le monde aime bien. Monsieur Duparc attend qu'elle soit terminée, puis ferme la radio :

– Y a des matins plus difficiles que les autres, hein ma fille ? Quand le matin est difficile, bien souvent le jour devient beau... Ta mère et moi, on est bien heureux d'avoir une fille comme toi... Camille, ta mère et moi, on trouve que t'es pas mal belle à voir avancer dans la vie...

À l'école, les élèves sont déjà dans leur salle de classe. Camille court dans les couloirs vides. Devant la porte de la sienne, elle s'arrête, prend une grande respiration, comme à la piscine, avant de plonger. Elle ouvre la porte, elle entre. Toutes les têtes se tournent vers elle. Incroyable ! Impossible ! Camille Duparc est en retard ! Elle évite de regarder vers le coin de Jonathan Poisson. Quelques élèves lui semblent avoir un petit sourire qui n'est pas habituel : savent-ils quelque chose ? Ce Jonathan Poisson doit avoir tout raconté. Elle se dit qu'elle doit marcher à son bureau comme si ce garçon n'était pas dans sa classe, comme s'il n'avait jamais existé sur la planète.

– Tu es en retard, Camille, constate un Monsieur Lachance étonné.

Arsenio Picard intervient :

– Camille est pas capable d'être en retard ; ça doit être l'horloge de l'école qui est en avance !

— Je m'excuse, dit Camille.

— Camille, tu vois, il y a toujours une première fois, se moque Monsieur Lachance, gentiment.

Monsieur Lachance se doute-t-il de quelque chose ? A-t-il appris quelque chose ?

— Monsieur, Camille, elle étudie trop le soir, explique Evan Labrecque. C'est ça, son problème : le matin, elle peut pas se réveiller... Moé, j'ai pas étudié hier. Mais vous avez vu, je sus arrivé à l'école avant l'heure.

— Moi, dit la prudente Jade Tousignant, dès que je me lève, je règle l'alarme de mon réveil pour le matin suivant.

— Fais-nous donc plaisir, Jade, arrive en retard de temps en temps, suggère Arsenio Picard.

Camille ne veut pas apercevoir Jonathan Poisson ; elle écoute Monsieur Lachance, elle suit sa démonstration au tableau, elle se penche sur son livre, où elle ne lit pas les mots, elle regarde à la fenêtre. Tout à coup, elle ne peut retenir ses yeux de se tourner vers Jonathan. Et son regard rencontre le sien. Son visage rougit : elle sent une légère brûlure sous la peau. Jonathan sourit...

À la sortie de classe, pour la récréation du matin, Jonathan surgit tout à coup près d'elle dans le couloir. Elle voudrait pouvoir l'écraser comme une mouche :

– Jonathan POISON, je souhaite qu'un train te passe sur le dos ! Je voudrais que le train fasse du bran de scie avec ton skateboard !

– C'est-i' toute ? Moé, c'est certain que je t'aime, Bébé !

Marquis imprimeur inc.

Québec, Canada
2012